DISCARD / ÉLIMINÉ

D1416519

Le chiffre sept

Texte de Jane Belk Moncure
Adaptation française de Chrystiane Harnois
Illustrations de Linda Hohag et Dan Spoden

VERSION FRANÇAISE © 1994 THE CHILD'S WORLD, INC.
Version originale anglaise © 1985 The Child's World, Inc.
Distribué au Canada par Grolier Limitée. Tous droits réservés.
Aucune partie de cet ouvrage ne peut être reproduite
sans l'autorisation écrite des éditeurs.
ISBN 0-7172-3096-1
Dépôt légal 4e trimestre 1994
Bibliothèque nationale du Québec
Imprimé aux États-Unis

Le chiffre sept

Voici Petit **sept**

Petit  sept vit dans la maison du sept.

Elle a sept pièces. Compte-les.

Chaque jour, Petit  sept part en promenade.

Un jour, il se promène sous la pluie.

Il voit un gros canard...

et six petits canards dans un étang.

Combien y a-t-il de canards en tout?

Quelques canards font «Couin, couin, couin.»

D'autres plongent sous l'eau.
Ils cherchent de la nourriture.

Combien vois-tu de têtes?
Combien vois-tu de queues?

Puis Petit  voit des grenouilles sur un tronc d'arbre.

Il en compte cinq à un bout...

et deux à l'autre bout.

Combien y a-t-il de grenouilles en tout?

Petit  **sept** frappe sept fois dans ses mains.
Peux-tu le
faire aussi?

Combien de grenouilles sautent dans l'eau?
Combien restent sur le tronc d'arbre?

Petit  sept poursuit sa promenade. Il arrive

devant un gros rocher.

Il voit une maman tortue avec tous ses petits. Compte-les.

Petit  **sept** trouve un filet.

Il attrape les...

bébés tortues. Combien?

Combien reste-t-il de tortues sur le rocher?

Les petites tortues sont tristes. Petit en libère alors trois. Puis il libère les trois autres.

Combien y a-t-il de tortues joyeuses maintenant?

Ensuite, Petit  voit un gros tas de branches. «Je vais m'asseoir pour me reposer», dit-il.

Mais un castor montre le bout de son museau. «Tu es assis sur ma maison», dit-il.

Petit  sept descend aussitôt.

Deux gros castors sortent alors de leur maison,

suivis de cinq petits. Combien y a-t-il de castors dans la famille?

«Regarde-nous jouer!» disent-ils.

Petit  dit, «Je vais jouer avec vous.»

Il fait sept bonds. Peux-tu le faire aussi?
Devine alors ce qu'il trouve?

Un grand carré de sable avec un train miniature dedans.

sept

Combien de voitures tire la locomotive?

Petit  sept construit un chemin de fer.

Il fait un tunnel.

«Je vais faire passer les sept voitures dans le tunnel», dit-il.

Petit  tire et tire.

Trois voitures sortent du tunnel.

Combien en reste-t-il à l'intérieur?

Petit  sept tire encore un peu.

Combien de voitures sont sorties du tunnel maintenant?

Combien se trouvent encore dans le tunnel?

Petit  tire encore. Est-ce que tout le train est sorti du tunnel?

«Il est tard. Je dois rentrer à la maison. J'aimerais bien venir ici chaque jour de la semaine», dit Petit

Petit sept compte les jours de la semaine — dimanche, lundi, mardi, mercredi jeudi, vendredi, samedi.

Peux-tu le faire aussi? Combien de jours y a-t-il dans une semaine?

En retournant chez lui, Petit  voit

de l'argent sur la route.

Petit  ramasse une pièce de cinq sous et deux pièces d'un sou.

Combien d'argent en tout?

Petit  sept se rend à la confiserie.

BONBONS

Il regarde par la fenêtre.
Il voit des sucettes.

Une affiche dit:

Sucettes: un sou chacune.

«Hourra!» dit Petit
«Je peux acheter

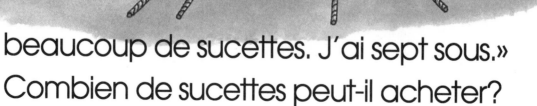

beaucoup de sucettes. J'ai sept sous.»
Combien de sucettes peut-il acheter?

Il achète trois sucettes à la cerise et
quatre au goût de raisin.
Compte-les.

Petit **sept** mange deux
sucettes.

Combien en laisse-t-il pour toi?

Additionnons avec Petit

$$\begin{array}{r} 1 \\ +6 \\ \hline 7 \end{array}$$

$$\begin{array}{r} 2 \\ +5 \\ \hline 7 \end{array}$$

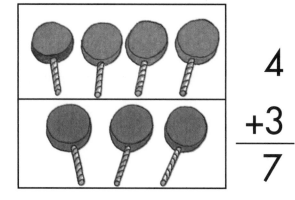

$$\begin{array}{r} 4 \\ +3 \\ \hline 7 \end{array}$$

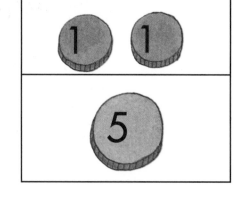

$$\begin{array}{r} 2 \\ +5 \\ \hline 7 \end{array}$$

Trouve d'autres façons d'additionner sept choses.

Maintenant, soustrayons avec Petit

$$\begin{array}{r} 7 \\ -3 \\ \hline 4 \end{array}$$

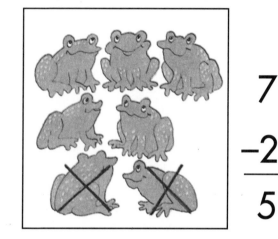

$$\begin{array}{r} 7 \\ -2 \\ \hline 5 \end{array}$$

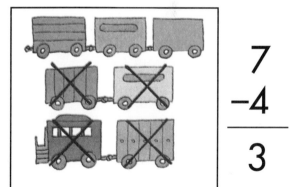

$$\begin{array}{r} 7 \\ -4 \\ \hline 3 \end{array}$$

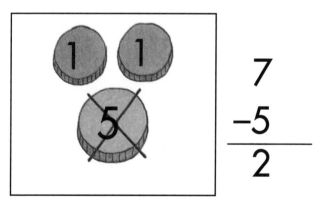

$$\begin{array}{r} 7 \\ -5 \\ \hline 2 \end{array}$$

Trouve d'autres façons de soustraire de sept.

Petit  fait le chiffre 7 de cette façon:

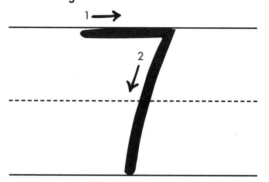

Il écrit le chiffre en lettres comme ceci:

Tu peux les écrire dans l'air avec ton doigt.